W9-BRJ-945

LES GRANDES PREMIÈRES DE L'HISTOIRE

Dans la même collection :

- Cap sur le pôle Nord
- Marco Polo en Chine
- Ils ont marché sur la Lune
- Le trésor de Toutankamon
- Magellan autour du monde

Collection créée à l'initiative de Jean-Benoît Durand
Conception graphique : Petit Scarabée
Illustrations du dépliant : Benoît Charles

Crédits photographiques :
ACJC-Fonds Curie et Joliot-Curie (page 38, 39b, 40, 41, 42) ;
Roger-Viollet (page 39h).
Réseau d'Imagerie Parisien (page 4h du dépliant).

www.casterman.com
ISBN 2-203-17307-6
Dépôt légal : février 2005
D. 2005/0053/403

Imprimé en Italie.

LES GRANDES PREMIÈRES DE L'HISTOIRE

MARIE CURIE ET LE RADIUM

texte
Émeline LEBOUTEILLER
illustrations
Ginette HOFFMANN

casterman

Casimir Dluski
BEAU-FRÈRE DE MARIE

Bronia Dluski
SŒUR DE MARIE

Henri Becquerel
PHYSICIEN
Marie Curie
PHYSICIENNE ET CHIMISTE
Pierre Curie
PHYSICIEN

CHAPITRE I

UNE NOUVELLE VIE COMMENCE

Septembre 1891, Paris. Marya, la petite sœur de Bronia, est arrivée de Varsovie par le train il y a tout juste quelques heures. Fatiguée par ce long voyage, elle ne sait pas encore qu'elle va pouvoir réaliser ce rêve qui ne la quitte pas depuis des années. Elle va bientôt fêter ses vingt-quatre ans et, enfin, commencer ses études à l'université de la Sorbonne* !

Alors, dans l'appartement de Bronia et Casimir Dluski, règne ce soir-là un petit air de fête. Installés autour d'un bon repas, les trois jeunes gens discutent sans relâche. Et d'abord de la Pologne. Il faut dire que les deux sœurs ne se sont pas vues depuis bientôt six ans !

– Dis-moi vite, Marya, comment vont papa, Jozef et Hella ?

– Tout le monde va très bien. Ils t'embrassent tous très fort. Le travail de papa est difficile mais il est content de pouvoir nous aider.

– Tu m'as bien aidée aussi, ma petite Manuisia. Maintenant, je vais enfin pouvoir te rendre la pareille.

En effet, c'est grâce à Marya que Bronia est à Paris depuis six ans. Leur père n'ayant pas les moyens de financer leurs études à toutes les deux, Marya avait généreusement proposé de travailler comme institutrice pour aider sa sœur. Quand cette dernière aurait fini ses études de médecine, elle l'aiderait à son tour.

– Tu es ici chez toi, Marya. Mais on parle, on parle et tu dois être fatiguée. Viens. Je vais te montrer ta chambre.

– Merci Bronia. Bonsoir Casimir.

– Demain nous irons nous promener, je te montrerai l'université.

Marya est à Paris depuis maintenant six mois. D'un tempérament timide, la jeune fille a francisé son prénom et s'est inscrite à l'université sous le nom de Marie Sklodowska. Elle suit avec délice les cours de physique, de mathématiques, de chimie. En rentrant le soir, elle s'installe à sa table et se plonge dans les livres jusqu'à ce que le sommeil l'oblige à s'arrêter. Bronia et Casimir sont aux petits soins avec elle. Malheureusement, le calme n'est pas de rigueur chez les Dluski, loin de là. Outre leurs nombreux amis, Casimir, qui est médecin, reçoit des patients* à n'importe quelle heure du jour et de la nuit. De plus, il adore jouer du piano… L'ambiance est fort chaleureuse mais se prête peu aux études !

Un soir, pendant le repas, Marie annonce :
– J'ai trouvé une chambre près de l'université. Je m'y installerai demain. Ce sera préférable pour moi.
– Tu n'es pas bien ici ? demandent en cœur Casimir et Bronia.
– Si, vous êtes adorables, mais il me faut du calme pour étudier. Je ne parle pas encore très bien le français. Je dois travailler beaucoup plus que les autres si je veux réussir.
– Bon, si tu penses que c'est mieux pour toi...
La chambre de Marie se résume au strict nécessaire : un lit, un poêle, une lampe, un broc*, une table, une chaise et de quoi faire la cuisine. Avec quelques francs par jour, elle doit payer son logement, son chauffage, sa nourriture, ses vêtements, ses livres... Mais qu'importe. Marie est heureuse car elle peut se consacrer entièrement aux études. Enfant, elle était déjà la plus studieuse de la famille. Quand son frère et ses sœurs jouaient, elle s'installait à la table de la cuisine, se bouchait les oreilles avec les pouces, et se plongeait avec délectation dans ses livres. Alors, même si ses repas ne se composent souvent que de pain beurré accompagné de thé, cela lui est bien égal ! Il y a tant de choses à apprendre...
Deux ans ont passé. Assise sur un banc de l'université, Marie attend, anxieuse, le résultat des examens. Si elle obtient sa licence* de physique, elle pourra sûrement travailler dans le laboratoire du professeur Lippmann.

Comme elle aimerait !… L'examinateur entre dans la salle et énumère les étudiants reçus. Marie n'en croit pas ses oreilles : elle est reçue première de son groupe !

LEXIQUE

* *La Sorbonne :* la plus célèbre et la plus ancienne université parisienne, fondée au XIIIe siècle.
* *Patient :* personne qui suit un traitement, client d'un médecin.
* *Broc :* grand récipient.
* *Licence :* diplôme universitaire, en général obtenu après trois ans d'études supérieures.

CHAPITRE 2

PIERRE ET MARIE

À peine sa licence de physique obtenue, et comme si une ne suffisait pas, Marie décide de commencer une licence de mathématiques. En même temps, elle travaille dans le petit laboratoire de physique du professeur Lippmann. Elle aime particulièrement cette atmosphère calme, les instruments de mesure, les tubes et tous les flacons, soigneusement rangés sur les étagères.

Mais aujourd'hui, Marie a la tête ailleurs : le beau jeune homme qu'elle a rencontré, lorsqu'elle a pris le thé chez ses amis polonais, lui a demandé de la revoir… et elle a accepté. Il vient la chercher à 16 heures pour une promenade. C'est vrai que ce garçon ne la laisse pas indifférente : il est élégant, grand, ses yeux sont paisibles et son visage doux. Et pour couronner le tout, ils ont les mêmes goûts : Pierre adore la nature, il est passionné de sciences, il est très attaché à sa famille. Ce physicien de trente-cinq ans a vraiment tout pour plaire à Marie.

En juillet 1894, Marie obtient haut la main sa licence de mathématiques. Elle a terminé ses études et peut, comme prévu, retourner en Pologne. Elle part donc retrouver les siens sans savoir si elle reviendra un jour à Paris. Pierre a le cœur lourd : il ne peut se résoudre à vivre loin de Marie. Marie est tiraillée. Elle en parle souvent à sa sœur Bronia, qui est venue passer les vacances en Pologne avec son mari.
– Bronia, je ne sais quelle décision prendre. Pierre m'a encore écrit ce matin.
– Comme tu as de la chance d'avoir un homme qui soit ainsi épris de toi.
– C'est sérieux, Bronia. Il me propose même de venir vivre en Pologne si je ne veux pas retourner à Paris.
– Ah ! en effet... Tu sais, Maria, si tu es bien avec cet homme, tu ne dois pas hésiter. Il t'aime, tu l'aimes... alors, un conseil : repars à Paris avant de le regretter.
Ravie de suivre pareille recommandation, Marie décide de regagner à Paris après l'été. Pierre est fou de joie, même s'il doit se montrer extrêmement patient ! Il lui faudra en effet attendre dix mois de plus pour qu'elle accepte de l'épouser.
En août 1895, Pierre et Marie Curie, plus heureux que jamais, enfourchent leur cadeau de mariage, deux bicyclettes, et partent en voyage de noces à travers l'Île-de-France. Cette nouvelle invention sera désormais leur moyen de

transport favori ! Ils parcourent avec bonheur, librement et à leur rythme, la campagne qu'ils aiment tant.
Au retour, la vie du jeune couple s'organise autour du travail. Ils habitent un appartement à leur image : simple. Marie ne veut pas perdre de temps à faire le ménage et épousseter les meubles. Elle continue ses travaux de recherche sur les aciers commencés avec le professeur Lippmann.

Après le dîner, autour de la table, Marie révise le concours d'agrégation* de l'enseignement secondaire tandis que Pierre prépare ses cours pour l'École de physique où il est professeur.

Un an est passé et ils vivent tous deux la vie dont ils n'auraient pas osé rêver. Seul changement, mais de taille : Marie vient d'accoucher d'une petite fille, Irène. Pierre et Marie sont comblés. Malgré la fatigue, Marie jongle habilement entre sa vie de famille, les tâches ménagères, le laboratoire. Surtout qu'un autre projet lui trotte dans la tête…

– J'ai trouvé un sujet de thèse*, annonce-t-elle à Pierre un soir, alors qu'ils discutent autour d'une tasse de thé.
– Laisse-moi deviner… Tu veux étudier les fameux rayons découverts par Henri Becquerel ?
– Oui, je suis sûre qu'ils renferment encore bien des mystères.
– C'est une excellente idée, Marie.

LEXIQUE

* *Agrégation :* concours de recrutement des professeurs.
* *Thèse :* travail écrit destiné à présenter une recherche scientifique.

CHAPITRE 3

UNE MYSTÉRIEUSE LUMIÈRE

En cette fin de XIXe siècle, le monde de la physique est en effervescence. Wilhem Röntgen a découvert des rayons capables de pénétrer la chair et d'autres substances mais pas des matériaux durs. Ignorant leur nature exacte, il les a appelés rayons X et obtient la première radiographie, la main de sa femme. L'année suivante, Henri Becquerel observe des rayons ne provenant pas d'un tube électrique mais émanant naturellement d'un morceau d'uranium*.

Il n'en faut pas plus pour éveiller la curiosité de Marie. Pour commencer ses recherches, elle doit disposer d'un laboratoire. Pierre finit par obtenir une pièce à l'École de physique. La salle dans laquelle Marie s'installe ressemble plus à un débarras poussiéreux, humide et encombré de matériel, qu'à un local de physique ! Il faut bien faire avec…

Dès que Pierre a un moment, il rejoint son épouse pour voir l'état de ses travaux. Et les résultats ne se font pas attendre.

– Regarde, Pierre. J'ai étudié ces échantillons. Plus il y a d'uranium, plus le rayonnement est important.

– Tu ne crois pas que la lumière peut l'augmenter ?

– Non, je l'ai mesuré dans le noir, j'ai modifié la température, j'ai mélangé des éléments étrangers… cela ne change rien !

– Cela voudrait donc dire que l'activité ne dépend que de la quantité d'uranium…

– Oui, le rayonnement serait émis par la matière elle-même. Cela n'a jamais été vu ! Je vais chercher si d'autres éléments ont la même propriété.

Marie pressent qu'elle est au bord d'une découverte capitale. Elle entreprend l'étude de tous les éléments chimiques. Elle découvre ainsi que le thorium* a le même « pouvoir ». Il n'y a aucun doute : ce rayonnement vient de la matière, des atomes* qui la composent. Pour qualifier ce phénomène inconnu, Marie invente un mot : la « radioactivité ».

Le soir en rentrant, la jeune femme est épuisée. Heureusement que le père de Pierre, médecin à la retraite, est venu s'installer chez eux. Il contribue à sa manière aux travaux de sa belle-fille en s'occupant à merveille de la petite Irène.

Le matin, après avoir baigné, habillé et nourri l'enfant, Marie peut désormais partir l'esprit tranquille.
Marie sait maintenant que seuls les minéraux contenant du thorium ou de l'uranium sont actifs. Fébrilement, elle étudie la radioactivité de tous les minéraux qui en contiennent. Elle mesure précisément le rayonnement de chacun d'entre eux.

Mais un résultat auquel elle ne s'attendait pas vient bouleverser ses prévisions. Elle refait sa manipulation, recommence ses calculs. Non, elle ne s'est pas trompée ! Elle court chercher Pierre et, encore tout essoufflée, lui explique :

– J'ai mesuré la radioactivité de plusieurs minéraux et elle est beaucoup plus forte que prévue.

– En es-tu sûre ?

– Oui, je connais la quantité exacte de thorium et d'uranium qu'ils renferment. Le rayonnement ne devrait pas être si important.

– Alors tu crois que...

– Oui, j'en suis presque sûre. Ces minéraux renferment une autre substance, beaucoup plus radioactive.

– Mais, tu avais étudié tous les éléments...

– Effectivement. Je crois qu'il s'agit d'un nouveau corps.

Pierre est complètement abasourdi. Marie, elle, n'en croit pas son électromètre avec lequel elle mesure le rayonnement. Reste à savoir quel est cet élément inconnu. Pierre décide de se joindre à elle pour participer à ses recherches. Ils sont maintenant deux cerveaux et quatre mains...

LEXIQUE

* *Uranium :* métal extrait de l'urane, faiblement radioactif.

* *Thorium :* autre métal radioactif blanc, extrait de la thorite.

* *Atome :* élément microscopique qui constitue la matière.

CHAPITRE 4

LA DÉCOUVERTE DU RADIUM

Depuis quelques jours, Pierre et Marie travaillent sur un morceau de pechblende. La pechblende est un minerai qui contient de l'uranium. Leur but : isoler l'élément mystérieux. Ils ont mis au point un procédé pour séparer les éléments chimiques. Ils mesurent ensuite la radioactivité de chacun et éliminent ceux qui émettent le moins de rayonnement. Petit à petit, ils se rapprochent de cette substance inconnue. Il semblerait même qu'il y en ait deux !

Penché sur un petit bocal, Pierre appelle Marie :

– Nous venons d'en isoler un, lui annonce-t-il.

– C'est incroyable ! s'exclame Marie en approchant. Il émet de la lumière.

– Et approche ta main, tu sens la chaleur qu'il dégage ?

Le couple est fasciné.

– Nous appellerons cet élément *polonium*, propose Pierre, en hommage à ton pays natal.

L'été qui suit leur offre un repos bien mérité. Le couple est exténué : se baigner dans la rivière ou faire de la bicyclette leur est même difficile. Sans le savoir, ils commencent à subir les effets, inconnus jusqu'alors, de la radioactivité. Mais la fatigue n'entrave en rien leur envie de trouver le deuxième élément. Dès leur retour à Paris, ils se remettent au travail. Quelques mois plus tard, en décembre 1898, quand une lueur mauve irradie doucement l'obscurité du laboratoire, Pierre et Marie sont émus et heureux. Ils peuvent désormais inscrire sur leur petit carnet noir : « La nouvelle

substance radioactive renferme un élément nouveau. Nous proposons de lui donner le nom de RADIUM. »
Depuis leur découverte, Pierre et Marie aiment venir dans le laboratoire, le soir après le dîner. Ils passent quelques instants à contempler les petits flacons luire dans l'obscurité avant d'aller se coucher. Pierre prend aussi un grand plaisir à surprendre ses amis. Il sort à l'improviste de sa poche une petite bouteille de verre et montre fièrement cette substance. L'étrange lueur qu'elle émet fait toujours son petit effet !

Quand Pierre et Marie annoncent le résultat de leurs recherches, les scientifiques se divisent en deux camps. Le premier est immédiatement enthousiasmé. Le deuxième ne veut pas y croire et les réflexions vont bon train. « Des éléments qui émettent des rayons ? C'est insensé. Nous savons tous que la matière est inerte.* » « Qu'est-ce qui nous prouve que ce polonium et ce radium existent vraiment ? » « Tant que nous ne les aurons pas vus, nous ne pourrons les accepter ! »
En tout cas, cet événement ne laisse personne indifférent. Pour convaincre tout ce petit monde, le couple n'a plus qu'une solution.
– Notre travail n'est pas fini, Marie.
– On dirait même qu'il ne fait que commencer ! Nous devons obtenir du radium et du polonium purs. Ainsi nous serons sûrs que les rayonnements viennent bien des éléments eux-mêmes. La tâche s'annonce difficile, mais ça ne me fait pas peur, au contraire.
– Elle s'annonce même très difficile : le polonium et le radium sont en très petites quantités dans la pechblende.
– Oui, si mes calculs sont bons, nous allons devoir traiter plusieurs tonnes de pechblende !
– Avec un peu de chance, nous pourrons obtenir quelques milligrammes de radium, acquiesce Pierre, pensif.

LEXIQUE

* *Inerte :* immobile, sans mouvement propre.

CHAPITRE 5

LE DÉBUT D'UNE NOUVELLE ÈRE

Dès que possible, Marie s'installe dans le vieux hangar en face de son laboratoire. C'est qu'il lui faut de la place pour traiter les « montagnes » de pechblende qui sont nécessaires. Le lieu aurait difficilement pu être plus inconfortable : l'été, une chaleur étouffante y règne ; l'hiver, quand l'eau ne ruisselle pas sur les tables, le froid est insupportable. Et, pire encore, Marie est souvent obligée de travailler dans la cour ou toutes fenêtres ouvertes afin de ne pas s'intoxiquer avec les vapeurs.

Pour mener à bien leurs travaux, une mine autrichienne a bien voulu céder aux deux chercheurs « fous » quelques tonnes de résidus* ! La tâche est harassante. Par vingtaine de kilos, Marie transvase la pechblende dans une bassine et la met sur le feu. Elle la remue avec une tige de fer aussi grande qu'elle, puis filtre, dissout de nouveau… Il lui faut purifier cette matière pour en extraire, petit à petit, le précieux radium.

Pierre a repris ses cours à l'École de physique. Dès qu'il a un moment, il vient l'aider à porter ses bassines, mélanger la pechblende…

Pendant quatre ans, Marie travaille sans relâche. Quand elle n'est pas au hangar, elle donne des cours de physique à l'École normale supérieure de jeunes filles pour aider les finances du ménage.

En 1902, le couple arrive enfin à ses fins !

– Ça y est ! s'exclame Marie. Il n'y a presque plus d'impuretés.

– Tu l'as pesé ? demande Pierre.

– Nous avons 100 tout petits milligrammes de radium.
– C'est largement suffisant. Grâce à cet échantillon, nous allons pouvoir étudier de plus près ses propriétés et montrer au monde que le radium existe bien !
Les répercussions sont inattendues. Le radium commence à sacrément faire parler de lui ! Pierre, avec l'aide de quelques médecins, vient de mettre le doigt sur un pouvoir surprenant : il guérirait le cancer. En quelques semaines, la popularité de Pierre et Marie, en même temps que celle du radium, prend une ampleur les dépassant eux-mêmes.

– Des journalistes sont encore venus visiter le hangar cet après-midi. Si nous sommes ainsi dérangés, il va nous être difficile de travailler, fait remarquer un jour Marie à Pierre.
– Je crois que nous sommes victimes de notre succès. Il nous faut bien accepter quelques dîners et interviews. Le radium fascine tant de monde…
Une véritable industrie est en train de naître. Il faut produire suffisamment de ce précieux élément pour le fournir aux médecins. Quelques charlatans profitent même de l'aubaine pour lui attribuer bien d'autres vertus comme celle d'empêcher la chute des cheveux ou de guérir toutes les maladies.
Marie a du mal à assumer cette nouvelle renommée. Mais son travail est enfin reconnu. Comment la petite Polonaise aurait-elle pu imaginer dix ans plus tôt, en arrivant à Paris, qu'elle deviendrait une chercheuse reconnue dans le monde entier ?
C'est dans cette euphorie que, le 10 décembre 1903, à Stockholm en Suède, l'Académie des sciences annonce publiquement : « Le prix Nobel* de physique est attribué par moitié à Henri Becquerel, par moitié à monsieur et madame Curie, pour leurs découvertes sur la radioactivité. »

LEXIQUE

* *Résidus :* matières qui subsitent après une opération physique ou chimique.

* *Prix Nobel :* prix fondé par Alfred Nobel (1833-1896) pour récompenser les auteurs d'œuvres scientifiques, littéraires ou humanitaires.

Marie avait obtenu quelques mois plus tôt son titre de docteur ès sciences physiques avec la mention du jury « très honorable ».
Elle ouvrait ainsi les portes d'une nouvelle discipline, la radioactivité, qui allait réserver encore bien des surprises…

MARIE SANS PIERR

De 1894 à 1906, Pierre et Marie Curie forment un couple de pionniers. Mais l'aventure commune s'interrompt brutalement.

Un tragique accident

19 avril 1906 – Pierre Curie trouve la mort, renversé par une voiture à cheval. Marie est effondrée : elle perd un mari et un précieux compagnon de travail.

Les Petites Curie

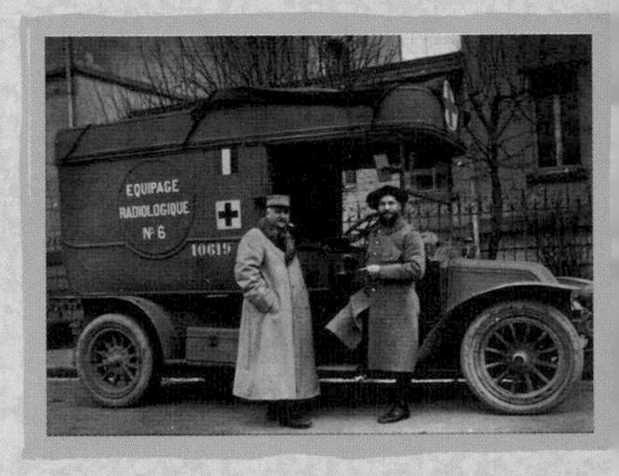

En 1914, le rêve de Pierre est sur le point de se réaliser. Le premier Institut du radium, avec Marie Curie à sa tête, va ouvrir ses portes. Mais la Première Guerre mondiale éclate. Marie s'aperçoit très vite qu'elle a un rôle à jouer. Elle enseigne la radiologie aux médecins et infirmières et fait équiper 18 véhicules avec des appareils radiographiques. Ces camionnettes sont baptisées les « petites Curie ». Les médecins peuvent ainsi, à proximité du front, localiser les balles et les éclats d'obus dans le corps des blessés et soigner les soldats plus rapidement.

Un deuxième prix Nobel !

À la mort de Pierre, la faculté des sciences demande à Marie de poursuivre le cours dispensé jusqu'alors par son mari. Elle devient la première femme professeur à l'université de la Sorbonne. En parallèle, elle continue avec acharnement son travail de purification du polonium et du radium et obtient enfin un radium pur. En décembre 1911, Marie Curie reçoit le prix Nobel de chimie. Jamais dans l'histoire, homme ou femme ne recevra deux fois une telle récompense…

la radioactivité, qu'est-ce que c'est ?

Certains éléments, comme l'uranium ou le radium, ont la propriété de se transformer en un autre élément en émettant des rayonnements. Ils dégagent aussi de la chaleur et concentrent une importante énergie. Ce phénomène s'appelle la radioactivité. La radioactivité existe dans l'univers depuis son origine. Elle est présente partout : dans la Terre, dans l'atmosphère, et même dans notre organisme. En effet, comme tous les êtres vivants, nous avons des atomes radioactifs dans notre corps. Nous en absorbons aussi tous les jours par les aliments et les boissons que nous consommons, par l'air que nous respirons, mais en très faible quantité.

UNE VIE POUR LE RADIU

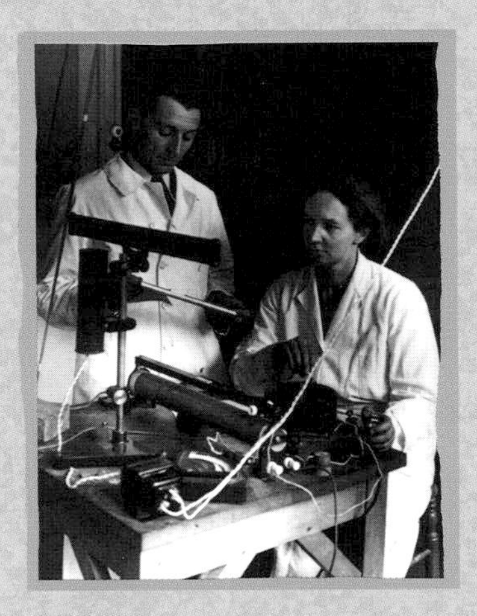

Jusqu'à son dernier souffle, Marie Curie se consacre à la radioactivité, qui laisse entrevoir de multiples applications. Elle transmet cette passion de la science et du travail à sa fille Irène. La relève sera brillamment assurée…

Une vocation héréditaire

Pendant plusieurs années, Marie se déplace dans le monde entier pour faire connaître ses travaux et récolter des fonds. Grâce à sa ténacité, elle inaugure en 1932 un Institut du radium à Varsovie, sa ville natale. Mais Marie a passé toutes ses années à travailler sans se protéger et elle souffre de plus en plus des effets nocifs de la radioactivité. Elle s'éteint le 6 juillet 1934, après avoir eu la joie de voir sa fille Irène et son gendre Frédéric Joliot découvrir la radioactivité artificielle. Le jeune couple recevra le prix Nobel de chimie un an plus tard…

C H R O

1897
Marie Curie commence ses travaux de thèse sur l'étude des « rayons uraniques » découverts par Henri Becquerel.

JUILLET 1898
Marie et Pierre Curie isolent un nouvel élément qu'ils nomment polonium. Pour qualifier ces substances qui émettent des rayons, Marie invente le terme « radioactif ».

26 DÉCEMBRE 1898
Les Curie découvrent un deuxième élément qu'ils baptisent « radiun

Un succès mondial

Après la guerre, Marie peut enfin se consacrer à l'Institut du radium. Des chercheurs du monde entier viennent y étudier la radioactivité. Mais l'Institut manque de moyens. Au même moment, Marie se lie d'amitié avec Marie Meloney. Admirative et enthousiaste, cette journaliste américaine lance une grande campagne de soutien à travers les États-Unis. Un an plus tard, Marie Curie, acclamée par la foule, pose le pied à New-York. Le 20 mai 1921, elle reçoit du président Harding en personne un gramme de radium, d'une valeur de cent mille dollars.

Radium miracle ?

Les rayons émis par le radium servent à traiter certaines formes de cancer, à guérir des lésions de la peau… La radioactivité est aussi rapidement reconnue comme une source d'énergie extraordinaire. La chaleur dégagée par le radium est telle qu'elle est capable de réduire une feuille de papier en cendre ! Cette propriété sera utilisée plus tard pour produire de l'électricité mais aussi pour fabriquer des bombes atomiques…

L O G I E

1902
Après 4 années de dur labeur, Pierre et Marie obtiennent du radium pur.

10 DÉCEMBRE 1903
Henri Becquerel et Pierre et Marie Curie obtiennent le prix Nobel de physique. Marie est la première femme à recevoir ce prix.

10 DÉCEMBRE 1911
Marie reçoit le prix Nobel de chimie pour avoir isolé du radium métallique et déterminé sa masse atomique.

33 cm — 4".8

— 5".3

on fait tomber les rayons X

33 cm — 0".8

on ôte les rayons X, puis on a

33 cm. — 4".8

sans rayons X ne modifient pas l'état ordinaire

12. Janvier ... éléments

uranium ...

33 cm ...

avec ...

plateaux ...

24 éléments

14,8 15,3 29,4

12 éléments

36,0 64,6

20. Avril Appareil Brunet

Pechblende Johgeorg

500 — 12.3

12.2

12.5

12.4 40,9

Pechblende Poulenc 3

500 — 17.0

17.0

17.0 29,4 avant analyse

décharge condensat anneau de garde

à 2 cm avec uranium uranium ... (?)

crachet — avec 48 accus

crachet + plat taile métall + 33 gr environ

pour compensation sur le quartz

...et — 19 gr

...et — 24 gr

...tant pour compensation

...ment 89 volts

compensation 80 gr

c.c.D. 1,85 ...

Pech...

liqueur evapor...

4 heures

200 —

500 —

40

45.

46.2

46.2

200 — 19.0

Azotate d'urane

conditions

100 ...

DES APPLICATIONS TOUS AZIMUTS

15 DÉC. 1948 NAISSANCE DE ZOÉ

Six ans après la première pile « américaine », la pile atomique française, baptisée *Zoé*, est mise en marche. Elle est l'ancêtre des dizaines de **centrales nucléaires** qui assurent aujourd'hui 80 % de la production électrique en France !

1953 LA TERRE A 4,5 MILLIARDS D'ANNÉES

Les éléments radioactifs sont aussi de véritables chronomètres et permettent de dater l'âge de roches, de minéraux ou de vestiges archéologiques. Cette **méthode de datation** a même permis de déterminer l'âge de la Terre. En 1953, une météorite, tombée en Arizona, est datée de 4,5 milliards d'années. Or, toutes les planètes du système solaire se sont formées en même temps. Les fragments qui nous arrivent de l'espace ont donc le même âge que notre planète.

1951 L'EXPLORATION DU CORPS

La médecine nucléaire progresse à pas de géants. Les premiers radioéléments à usage médical sont développés. La radioactivité permet d'explorer le corps humain. On peut examiner des organes et leur fonctionnement en introduisant dans l'organisme d'infimes quantités d'éléments radioactifs : ce sont les rayons gamma.

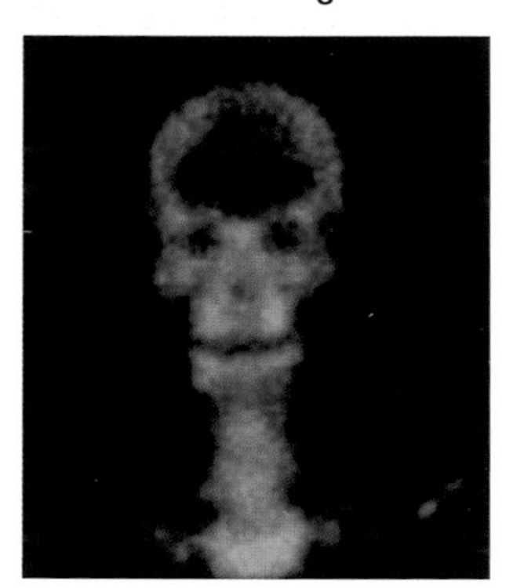

Le **scintigraphe**, inventé en 1951, est basé sur ce principe.

1956 DE L'ÉLECTRICITÉ NUCLÉAIRE

Cinq ans après les États-Unis, la France met en marche sa **première centrale nucléaire** à Marcoule (Gard). Une centrale nucléaire est comme une centrale thermique où le charbon, le gaz... sont remplacés par des noyaux d'atomes radioactifs. La fission des noyaux dégage une chaleur considérable. Cent grammes d'uranium naturel engendrent autant d'énergie qu'une à deux tonnes de pétrole !

UN HÉRITAGE TOUJOURS VIVANT

1972/73 LE CORPS SOUS TOUTES SES FORMES

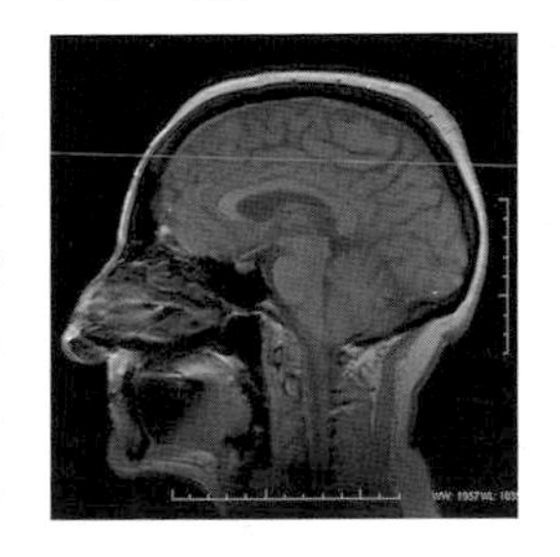

Le scanner est mis au point en 1972. Une partie du corps est cette fois-ci radiographiée par tranches successives et non dans sa totalité. L'image, reconstituée par ordinateur, est plus précise et permet de détecter très précisément des lésions. La première **IRM, image par résonance magnétique nucléaire**, est réalisée un an plus tard. Des tissus « mous » comme le cerveau, la moelle épinière, les muscles… sont étudiés grâce à cette technique.

26 AVRIL 1986 L'EXPLOSION DE TCHERNOBYL

L'exploitation de l'énergie nucléaire n'est pas sans risque. Le 26 avril 1986, le réacteur n° 4 de la centrale nucléaire de **Tchernobyl** explose en Ukraine. Le nuage radioactif dû à l'explosion touche surtout l'Ukraine et la Biélorussie mais aussi la Scandinavie, la Pologne, l'Allemagne, l'Italie, la France… Plus de 1,5 million de personnes furent irradiées.

21 AVRIL 1995 UNE FEMME AU PANTHÉON

Les cendres de Marie et Pierre Curie sont transférées au Panthéon, à Paris. Marie est la **première femme accueillie dans ce lieu** prestigieux pour ses mérites. La radioactivité va bientôt fêter ses cent ans et la France rend ainsi hommage au couple qui a ouvert les portes d'une nouvelle discipline. En effet, des applications se sont développées tout au long du XXe siècle dans des domaines aussi variés que la biologie, la médecine, l'agronomie, l'industrie, l'énergie… et continuent d'offrir des perspectives prometteuses, notamment en médecine.

2004 DES DÉCHETS ENCOMBRANTS

Certains déchets nucléaires n'auront perdu leur radioactivité que dans plusieurs millions d'années. En France, des études sont en cours : est-il préférable de les enfouir en profondeur, de les entreposer en surface, peut-on les transformer en éléments moins nocifs ? En 2006, au vu des résultats, le Parlement se décidera… Pour réduire ces déchets, d'**autres sources d'énergie** tendent à se développer comme les énergies **éolienne** et **solaire**.

LE DÉPLIANT

POUR ALLER PLUS LOIN